안녕을 위한 안녕

안녕을 위한 안녕

발　행 | 2023년 12월 29일
저　자 | 단일
펴낸이 | 한건희
펴낸곳 | 주식회사 부크크
출판사등록 | 2014.07.15. (제2014-16호)
주　소 | 서울특별시 금천구 가산디지털1로 119 SK트윈타워 A동 305호
전　화 | 1670-8316
이메일 | info@bookk.co.kr

ISBN | 979-11-410-6276-7

www.bookk.co.kr

안녕을 위한 안녕

단일

작가 소개

보이는 것으로부터 보이지 않는 것을 쓴다.
보이지 않는 것을 보이는 것으로 옮기고
울지 못하는 것을 위해 대신 눈물을 흘린다.

말하지 못하는 것을 위해 기꺼이 입이 되어주기도
듣지 못하는 것을 위해 가만 귀가 되어주기도 한다.

때로 지나온 길을 돌아보며
걸어갈 길을 미리 걸어본다.

그러다 세상이 낯설게 다가오면
세상으로부터 나를 감추기도 하며
서슴없이 치부를 드러내기도 한다.

Instagram : @the_unknown_danill
E-mail : the_unknown_danill@naver.com

작가의 말

 책이 이번 겨울을 지나기 전에 세상으로 나오게 되어 기쁘다.
덕분에 올해도 내 책을 기다린 독자들에게 찾아갈 수 있었다.

 이 책은 주변 사람들 그리고 동료 작가들의 응원과 사랑이
있었기 때문에 이렇게 나올 수 있었다. 그래서 이 책을 빌려
감사함을 전하고자 한다.

 먼저 내 길을 응원해 준 가족에게 감사하다. 걸어갈 길을
가족에게 이해받는 것은 정말 분에 겨운 복이다. 다음으로 오랜
벗 배준서·정고은 두 사람에게 감사하다. 긴 시간을 함께한
만큼 누구보다 나를 잘 이해해 주었고, 둘의 꾸준한 걱정은
우리가 멀리 있지만 늘 함께하고 있다는 것을 느낄 수 있었다.
더불어 나를 친동생처럼 조언과 격려로 아껴주며 내가 칭찬에
목말라 죽어갈 때마다 단비를 내려준 한겨울의 햇살 같은 작가
김제인과 내 길이 틀리지 않았다며 나보다 내 길을 확신한 작가
최경준, 둘에게도 고맙다. 둘이 있었기에 멈추지 않고 끝까지
작업을 마칠 수 있었다. 마지막으로 웃을 일 없는 내 하루에
항상 웃음을 주는 김태준·김민재, 무엇보다 나와 내 글을
사랑해 주는 독자들. 많이 아끼고 늘 감사하다.
 이 외에도 기록하지 못한 사람들이 있다. 이들 모두가
없었더라면 책을 포함해 나 또한 이 세상에 없었을 거다. 다시
한번 감사하다.

이번 책은 이별이 주제다. 신이 우리에게 이별이란 시련을 내린 이유는 만남을 소중히 여기라는 뜻인지도 모르겠다. 그렇게 생각하더라도 이별은 여전히 큰 시련이고 생각만으로 가슴이 먹먹해진다.

 책에 그런 감정을 담으려 노력했다. 이별이라는 숙명에서 벗어나려 애쓰지만 벗어날 수 없음을 깨달았을 때의 좌절감과 이런 현실을 받아들여야 하는 비참함을. 그러나 나의 비재 때문에 미숙한 부분이 많아 독자들이 만족할지 모르겠다. 부디 너그러운 마음으로 읽어준다면 더 바랄 것이 없겠다.

 이 책을 읽는 당신의 가슴에 한 문장이라도 맺히길 바라며 2023년 겨울 한복판에서 단일 올림.

책머리에

세상에는 왜 이토록 이별이 많은지.
많은 이별에 무뎌질 법도 한데 왜 매번 이렇게 아픈지.

모든 이별이 종식되는 날을 꿈꾼다.
더는 아프지 않도록.

차례

제 2부 죽음

제 3부 꿈

제 4부 스물넷

맺는말

제 1부 사랑

머리말

바람에 머리가 헝클어져도 바람을 탓한 적 없습니다.
오밤중에 외로워도 저 달을 탓한 적 없습니다.
우리가 헤어졌어도 떠나간 그대를 탓한 적 없습니다.

이별의 순간

그런 순간이 있다
이별이 다가왔음을 예감하는, 그래서
눈을 감고 제발 아니길 기도하며 숨죽이는 순간이

하지만 늘 그러했듯
내 기도는 하늘에 닿지 못했고 불길한 감각은
틀린 적이 없었다

이별의 순간
네 음성이 들린다
마지막이겠지
눈을 감는다

그런 순간이 있다
도무지 답할 수 없는, 그래서
침묵하지만 도리어 답이 되는 순간이

겨울

잎이 떨어지기 무섭게 날이 추워졌습니다
겨울인가 봅니다
그대와 이별한 것이 이맘때쯤이었죠

이별은 겨울처럼 옵니다
주변 공기가 차갑게 식고 해는 짧아져서
밝은 시간보다 어두운 시간이 더 많은 겨울처럼

그리고 겨울은 이별처럼 오지요
허파에 구멍이라도 난 듯 한숨만 나오고
세상이 온통 쓸쓸해 보이는 이별처럼

평행 우주

반대편 지구의 우리는 헤어지지 않았을 거다
네 걸음에 내 발걸음을 맞추고
밥을 먹을 때 항상 네 수저를 챙겨주었을 거다
혹시 네가 아프면 단걸음에 네 집 앞으로 달려가
죽과 약을 놓고
혼자 아파하지 않도록 잠들 때까지 통화했을 거라 믿는다

분명 그랬을 거다
반대였을 거니까

그리움 1

아침부터 하늘이 흐리더니 저녁에는 끝내
비가 내립니다
당신 하늘에도 비가 내릴까요

우산을 챙겨 길을 나섭니다
목적지는 없지만 무작정 걷다 보면
당신 생각에서 멀어질 것만 같아서

만일 이 하늘처럼 맘 놓고 운다면
이처럼 힘들지는 않았을까요

빗줄기 사이로 사람의 형체가 보입니다
혹시 당신일까 달려가지만
위태롭게 서 있는 나무였습니다

우산이 땅으로 힘없이 떨어집니다
억수같이 쏟아지는 비를 고스란히 맞으면
그리하여 내가 열병에라도 걸린다면
걱정 많던 당신이 나를 보러 올 것만 같아서

연필

누군가를 사랑한다는 것
그건 전부를 건네는 일,
당신 마음에 누군가 살고 그 사람을 정말 사랑한다면
더 이상 줄 것이 없을 때
제 한 몸까지 기꺼이 깎아서 시라도 쓰는 일이다
그러다 닳아서 사라지더라도
웃으며

그리움 2

함께 거닐던 가로수길을 다시 걸어봤습니다
기억하시나요
생일 선물로 그대의 시간을 달라고 했었죠
그 시간으로 걸었던 길을 다시 걸어봅니다

낙엽이 뒤덮은 길거리와 달리
감춰지지 않는 그리움
그래도 죽을 것 같지는 않군요
그때는 왜 그렇게 죽을 것 같던지
못 본다고 죽는 것도 아닌데
사라지는 것도 아닐 텐데

빛나는 사람

태양을 마주 볼 수 있는 사람은 없습니다
똑바로 마주보기 전에 고개 숙이고 마는데

나에게 그대가 그랬습니다
두 눈을 마주치기조차 힘든 나인데

그대는 내게 태양이었습니다
바라볼 수 없는…

기약 없는 기다림

누군가를 기다려본 적 있는가
손꼽아 기다리다 지쳐 쓰러져본 적 있는가
쓰러져 절망하다가 다시 일어난 적 있는가

혹시 돌아오지 않을까, 하는
작은 회망에 나는 매일을 살았다
울다가도 웃었다

그러니 친구여, 왜 기다리느냐고 묻지 말아 다오
설령 그 사람이 돌아오지 않더라도
기다릴 수 있어서 몹시 행복했으므로

고장 난 라디오

혼자 맞이하는 아침
나는 라디오를 만지고 있었다
라디오에는 우리가 함께했던 시간만큼 먼지가 쌓여있었다
한참을 만지작거렸으나
고장이 났는지 좀처럼 켜지질 않았다
난 라디오를 책상에 던져두고 침대에 누웠다
아침마다 시끄럽던 휴대전화는 잠잠했다

적막
이별이란 건 숨 막히는 적막과 다시 친해지는 일이라는데
오랜만에 만난 녀석은 사뭇 분위기가 달랐다

라디오를 새로 장만해야겠다고 생각하며
벽으로 돌아누웠다
등 뒤로 날리는 먼지를 뒤로한 채

겨울에 바람이 불면

겨울에 바람이 불어옵니다 그럴 때면
유독 차가운 내 손을 그대가 꼭 잡아줬습니다

그때는 그 온기가 영원하리라 생각했습니다
난 왜 지나고 나서야 소중함을 느끼는지요

다시 바람이 불어옵니다
주머니에 손을 집어넣어도 냉기가 돌고
그대가 보고 싶습니다

첫사랑

첫눈이 내립니다
이 겨울이 끝날 때까지 수십 번 눈이 내리겠지만
나는 이 순간을 분명 잊지 못하겠죠
처음이란 게 그렇습니다
다른 어떤 날과 달리 특별하기에

이 숨이 멎을 때까지 무수한 사람이 나를 지나간다 한들
내가 당신을 절대 잊지 못하는 것도
당신이 내 첫눈이기 때문입니다

친구를 사랑했네

누구는 사랑이 축복이라지만 당신 앞에서 내 사랑은
저주에 가까웠습니다
사랑하면 안 될 당신을 사랑하는 나였기에

난감한 심장박동을 억누르고 한 발짝 뒤로 떨어졌습니다
언제든 이 저주가 풀리면 돌아갈 수 있도록 적당히
그런데 당신은 이런 내 마음도 모르는지
섭섭하다며 내게서 멀어지더군요
나는 서글퍼졌습니다
우정도 함께한 시간도 모조리 가져가는
사랑, 그 참담함에

흉터

비 내리는 날이면 흉터가 시큰합니다
사랑, 그건 아물어도 흔적이 남습니다
그래서 누구나
가슴에 크고 작은 흉터 하나쯤 안고 살아가지 않던가요

흉터는 아픔을 상기시킵니다
어쩌다 다쳤고 얼마나 아팠는지
당시의 감정과 기억이 주마등처럼 스쳐 지나가는데

내 가슴에도 사랑이 아문 자리가 있습니다
잊고 살다가 비 오는 날이면 쓰라린 흉터를 보며 눈물 훔칩니다

보면 볼수록 아플 걸 압니다
그런데도 자꾸만 보게 되는 내 마음은…

짝사랑

보고 싶지만 볼 수 없을 때 사람의 마음은
진실로 진실로 괴로운 것입니다

그렇지만
차마 보고 싶다고 말 못 하는 이유
그대 곁에 오래 머물고 싶은 마음임을 알아주십시오

그대 옆의 그 사람이 내가 되지 못한 것이
괴롭지만 동시에 행복한 것은 여전히
그대를 사랑할 수 있는 제 마음임을 알아주십시오

그리움 3

어두워야 선명해지는 것이 있다
밤하늘의 달이 그렇고 네가 그렇다

사랑해

조용히 걷다가도 네가 말해주곤 했다
우리 사랑에 의심이 자라지 않게

사랑해, 그 말이 뭐라고 사람을 웃고 울게 만드는지

사랑의 무저갱

잊었다고 생각한 순간에도
손은 아직 당신을 찾고 있었습니다
길을 걷다 보면 발은 어느새
함께 걸었던 길 위에 있고
당신이 좋아하던 찻집에서 주문하고 있는
저를 발견할 수 있었습니다

벌을 받아 한번 떨어지면
헤어나지 못한다는 영원한 구렁텅이를 무저갱이라 합니다
어쩌면 나는 당신을 떠나보낸 죄로
벌을 받는 것은 아닐는지요

당신에게서 헤어날 수 없으니

그리움 4

우리 힘으로 어찌할 수 없는 것이 있다
바로 그리움

많은 날을 잊은 척 살았으나 어떤 날은 참을 수 없이 그리웠다
그런 날이면
보고 싶은 이름을 입안에서 굴리고 다시 굴렸다
상처 나고 피비린내가 진동해도
사랑이란 이유로

거리에서

많은 사람에게 둘러싸여 있어도 숨 막히게 외로웠다
그럴 때면 한 사람 생각이 간절했다
있는 그대로 나를 사랑해 줄 사람 단 한 명
그렇다면 누구 안 부럽게 행복할 텐데

나도 모르게 한숨이 새어 나왔다
세상을 다 살아도 못 만날 것 같아서

생이 다하는 그 순간에도 혼자일 거라는 생각에
나는 인파 속에서 주저앉았다
역시나 누구도 내게 손 하나 내밀지 않았고
결국 고스란히 나만의 것이 되어 버린 외로움에
나는 절망했다

월동

이별에 뒤조차 돌아보지 않는 사람은
무정하다고 생각했다
나의 이별은 아니었으니

추억한다는 핑계로 오랜 시간 널 붙들고
누굴 위한 것인지 모를 눈물을 흘렸다
그래야 사랑이라고 믿었다, 그런데

아니다 아니었다
돌아보지 않는 이유는
사랑하지 않아서가 아니었다

나무는 겨울이면 잎을 남겨두지 않는다

이별에 눈길조차 주지 않는 사람,
그 사람은 알았을 것이다
사랑의 마지막은 놓아줘야 한다는 걸
마치 사랑하지 않은 것처럼

맺는말

사랑은 한순간인데 그리움은 왜 한평생인지.

제 2부 죽음

머리말

나 하나 없다고 세상은 멈추지 않겠지만
내가 전부인 이들의 세상은 멈춘다.

별 1

왜 밤이면 그리운 사람이 생각나는지
시간이 남아서 그런지, 달이 밝아서 그런지
그것도 아니면
별처럼 낮에도 존재하지만
해가 밝아서 보이지 않는 것인지
그래서 밤이면 선명히 반짝이는지

수많은 별이 떠 있는 밤이다
깨어있는 모두 그리운 누군가를 떠올리는 것인지
별이 많이 보인다

나도 그리움이 사무치는 밤에
빛 한줄기 더해본다

별의 종말

밤하늘을 올려다보던 네가 그랬다
"어쩌면 별은 이미 없어졌을지도 몰라"

나는 물었다
"그게 무슨 말이야?"

너는 대답 대신 미소 지었다

시간이 흐른 뒤에 그 말을 이해한다
그래, 너는 그때 이미 죽었다 빛나고 있었지만

E에게

　오랜만이야. 이 말을 눈물 없이 꺼낼 때까지 반년이란 시간이
흘렀네. 어느덧 겨울이야. 이곳은 눈이 많이 내려.
　나는 평소처럼 지내. 글도 쓰고 좋아하는 책도 읽어. 밥도
규칙적으로 잘 챙겨 먹고 최근에 운동도 시작했는데 그래도
운동은 여전히 힘들더라.
　넌 뭐 하고 있을까. 혜지 누나와 놀고 있으려나 아니면
좋아하던 금붕어 키우면서 사진 찍고 있으려나.
　뭐가 됐든 네가 잘 지내고 있을 거라 믿어. 괴로웠던 기억은
깔끔히 잊고 말이야.

　잠 못 이루는 새벽, 옥상에 올라왔어. 그런 날 있잖아. 아무
이유 없이 외로운 날. 어둠이 내려앉은 도시를 내려다보니 여러
생각이 들어. 너도 이런 마음이었을까. 괴롭고 힘들고 우울한데
등을 떠미는 것처럼 자꾸만 바람이 불고 그런데 잡아줄 사람은
없는….
　미안하고 또 미안해. 뒤늦게 용서를 구해. 네가 떠난 뒤에야 이
마음을 이해해서. 마지막 전화를 받지 못해서. 이미 너는 내
말을 들을 수도 이 편지를 볼 수도 없겠지만.

　네가 그랬잖아. 무저갱에서 기다린다고. 다시 만나면 더 멀어질
곳도 없는 그곳에서 영원히 살자고.
　그래, 우리 천국은 못 가더라도 함께하자. 곧 따라갈게.

부고

죽음이 들려온다, 아주 많이
명복을 빌어본다, 닿을지 모르겠지만

잠잠한 통곡

문을 열면 그곳에 있을 것 같은데
손잡이를 돌리지 못했다

재회

이별했어도 다신 못 본다고 생각하지 않는다
영원한 건 없으니까

언젠가 다시 만날 그날
입가의 미소와 함께 팔을 크게 벌려
모두를 끌어안고 싶다
그리고 말할 거다
보고 싶었다고

너는 하늘에 산다

자주 하늘을 올려보곤 했다
하늘로 떠난 사람을 찾으려면 하늘을 봐야 할 것이다
천국은 위에 있으니까

자살로 생을 마감한 사람은 아래로 간다며 할머니가 알려줬다
그래도 하늘을 봤다
네 죽음은 세상이 만든 타살이니까

당부

당신이 아무렇지 않게 생각하는 게 누군가에게는
간절히 바라는 것일 수 있습니다

부디 목숨을 소중히 생각해 주세요

후회

떠나간 너를 한동안 잊고 살다가
작년 가을쯤에 네가 줬던 귤 생각이 났다
네가 사는 곳은 귤이 넘치는 곳이었다

냉장고를 열어본다
반쯤 먹다 남은 케이크, 유통기한 지난 우유
그리고 마치 기다린 것처럼 구석에 웅크리고 있는 귤
나는 항상 소중함을 뒤늦게 깨닫는다

한 알씩 입에 넣는다
꼭꼭 음미한다
철 지난 과일은 미묘한 맛이 나더라

별 2

사람은 죽으면 별이 된다는 말
난 그 말을 믿는다

우리 동네는 자정이 넘으면 모든 불이 꺼진다
그러면 기다렸다는 듯 모두 감춰났던 그리움을 꺼낸다

수많은 별, 떠나간 사람들

문득 떠오르는 농담
악법도 법이고 나락도 락, 그래서 이별도 별인가?
말장난에도 좀처럼 입꼬리가 움직이지 않는다
너라면 웃었겠지

어떤 생각도 진지해지는 이 밤
별들 헤아리며 조용히 빛나고 있을 너를 찾는다

망각

오늘도 우린 누군가를 잊고
누군가에게서 잊히며 살아간다

맺는말

모든 이별은 처참해. 아름다운 이별이란 건 없어.
아름다운 추억만 있는 거지.

제 3부 꿈

머리말

분명 하늘을 보며 걷는 아이였는데 언제부턴가
땅만 보는 어른이 되어 있었다.

별 3

과거에 별은
아라비아 상인에게 길을 알려주고
항해가에게는 시간이 되었다

기술이 발전한 오늘날에도 별은 길과 시간이 된다

방황하는 이에게 밤하늘의 별은 얼마나 감사한가
또 얼마나 아득한가

침묵하던 밤

침묵하는 밤이었다
딱딱한 침상에 엎드려
녹색 모포를 한 장 뒤집어쓰고
깜빡이는 손전등 하나에 의지한 채
한 자 한 자 눌러썼다

마땅한 노래도 없었지만
동기의 뒤척이는 소리와
또 다른 동기의 고단한 코골이를 노래 삼아
가슴이 시키는 대로 적어갔다

철조망도, 엄격한 규율도
가둘 수 없는 조용한 외침
무거운 침묵 속에도 마음만은 가벼웠다

마땅한 종이가 없어서
교보재 뒤편에 끄적이던,
문득 발소리가 들리면
황급히 손전등을 끄고 자는척하던,
나의 침묵하던 밤

별 4

아른아른한 저 별이 싫었다
닿을 것 같아 손을 뻗으면 허공에서 허우적거렸다

희망은 때로 절망이 되어 돌아오곤 했다

나는 무너질 수밖에
별과 나 사이의 거리
그 공백만큼

암순응

한동안 끄지 못했던 불을 껐다
내가 쉬면 남들은 나를 앞질러 갈 것이라는 생각이
주저하게 했다

불을 끄니 아무것도 보이지 않는다
꿈길은 이처럼 불안함과 좌절의 연속

어둠에 익숙해지면 비로소 보이는 것들이 있을 것이라
위로하며 잠에 든다

청춘의 한 장면

바람을 쐬러 한밤중에 밖으로 나왔다
숨을 쉴 때마다 뜨거운 입김이
어떤 하루를 보냈는지 설명한다

등록금을 위해 아르바이트하는 친구 얘기를 들었다
치열하다
그 친구의 삶도
홀로 켜진 스물네 살의 단칸방에서 나오는 불빛도

고백

하늘에 고백한다
글을 사랑할 천명을 짊어지고 세상에 태어났으나
미워졌다
글이라는 것이

나는 나를 보는 게 두려웠다
글을 쓴다는 것은 나를 투영하는 일이었으므로

날 위로해 주던 글은 더 이상
위로되지 않는다
아, 나조차 위로하지 못하는데
누굴 위로하랴

그런데도 지금 고집스럽게 글을 쓰고 있다
이 또한 슬픈 천명인 줄 안다

욕심

사람을 살리는 글을 적고 싶다고 생각했다
정작 나부터 살리지 못하면서

꿈

매일 밤 두 손을 모았다
한순간이라도 밤하늘에 수 놓인 별처럼 빛날 수 있기를

아마 그 무렵이었을 거다
고개를 드는 것보다 땅을 바라보는 일이 많아진 게
죄지은 것도 아닌데 고개를 숙였다

터널

누군가 그랬다
꿈이란 길고 새까만 터널
끝이 보이지 않는 그곳에서
우린 주어진 길을 달려가고 있다고

작품

꿈이 병이라면 꾸준함은 약이다
그 때문에 포기하지 않고 오늘도 글을 쓴다
하지만 글은 잘 써지질 않고 손은 괜스레 담배를 찾는다

라디오로 노래가 흘러나온다
오늘따라 유난스럽게 들리는 이유
내가 가볍게 듣는 음악도 이런 고뇌의 시간을 거쳤으리라

신기루

모래바람만 날리는 사막에서
물웅덩이를 발견했을 때의 감정은
간절했던 사람만 안다

그 웅덩이가 신기루였을 때의 감정도
간절했던 사람만 안다

내 삶에서 오롯이 빛날 순간은 언제쯤일까

내 삶에서 오롯이 빛날 순간은 언제쯤일까
밤길 속 우연히 고장 난 가로등을 보았다

내 꿈은 저렇게 깜빡였다
환하다가도 어두워지는
영원히 빛날 것처럼 반짝이다 꺼지는

눈시울을 붉히다 고개를 흔들었다
그렇지 않은 사람이 어디 있다고
모두가 그렇게 살아가는데

가로등을 지나쳤다
고칠 수 있는 것도 아니기에

깜빡이는 내 꿈을 고칠 수 없어서 내버려둔 것처럼
내 삶에서 오롯이 빛날 순간은 오지 않겠지, 하고
체념한 것처럼

맺는말

길을 잃었다면 고개를 들어 하늘을 보라.
별은 어둠 속에서 반짝인다.

제 4부 스물넷

머리말

인간은,
존재 이유를 찾기 위해 한평생 발버둥 친다.

그런 날

일, 가족, 인간관계
모든 게 괜찮은데 괜히 슬픈 날이 있다
슬퍼서 눈물 고이는 날이 있다

회고록

평생 가면 쓰고 살았다, 그래서
비위를 맞추고 장단에 어울리는 광대놀음이 주를 이뤘다
그렇게 살다가 지칠 때면 글을 썼다
유서라는 이름으로 몇 번의 편지를 하늘로 보냈는지 모르겠다

상세불명의 우울 에피소드

"선생님 저는요, 제가
하늘을 비행하는지 아니면 땅으로 추락하고 있는지 모르겠어요.
하루에도 수십 번 공중에 뜨고 수천 번 바닥으로
떨어지는데요."

"그냥 사라졌으면 좋겠다는 생각을 해요. 어쩌다 한번이 아니라
하루도 빠짐없이, 매일. 세상은 내게 너무 차갑기만 해요."

"선생님, 선생님 같은 사람은 아실까요. 숨 쉬는 게 죄처럼
느껴지는 이 기분을."

"약을 먹어도 병은 나날이 깊어지고 전 여전히 하나만
생각해요."

"선생님, 선생님은 늘 침묵하시네요."

낙화

오늘도 추락 중인 나에게
날리는 꽃잎이 말해줬다

떨어지는 순간에도 아름다울 수 있다고

회상

내 청춘은 그랬어요
돌려받지 못할 줄 알면서
누군가를 뜨겁게 사랑했어요

주변의 만류에도 불구하고
바라던 일에 몰두하다가
중요한 것을 놓치기도 했어요

좌절하고 울었어요
갈 길을 잃은 아이처럼

만일 내게 돌아갈 기회가 주어진다면
주저 없이 돌아갈 거예요

아아, 그런데도 똑같은 선택을 하겠죠
내 청춘은 그랬으니까요

가면

울음이 쌓여갈수록 더 환하게 웃었다
아픔에 베일 때면
거짓말로 상처를 숨겨왔고
그리하다
그리하다
커다란 아픔이 덮쳐올 때면
더 큰 거짓말로 상처를 숨겼다

깨달음

마침표
인생에서 이 점을 언제 찍을지 고민하느라 정작
중요한 것을 놓치고 있었다

정말 중요한 것은 마침표가 아니라 문장인데

어쩌면

어쩌면 나도 모르게 누구를 상처 줬을 것이다
그래서 어쩌면 나는 그 사람 손에 죽었을 수도 있었다
어쩌면 우리는 알게 모르게 용서받고 살고 있는지도 모른다

허상

이제 제법 날씨가 쌀쌀하다
끝날 것 같지 않던 여름 열기도 점차 식어간다
가을이다, 가을

세상은 벌써 이별 준비로 한창이다
낙엽이 뒹굴고 꽃이 진다

영원한 것을 찾아다녔다
그러나 내가 찾은 것은 모두 필멸했고
영원할 것 같았던 이번 여름도 지나고 있다

버스 2

술에 취한 어느 날 밤 무작정 버스에 올라탔다
종점이 어디고 어느 정류장을 지나는지 몰랐지만
어디로 가야 할지 나조차 알 수 없었으므로
부디 내가 있어야 할 곳으로 데려가 주길 기도하며
빈자리에 앉았다

차창 너머로는 끊임없이 낯선 풍경과 생소한 사람들이
나타났다가 뒤로 사라졌고 나는 나를 보았다

그랬다, 삶이란
무작정 올라탄 버스 같았다
올바른 길로 운행하고 있는지
도대체 어디서 내려야 할지
아무런 정보도 없이 몸을 맡겨야 하는 일

주변을 둘러보니 어느새 승객은 나뿐이었고
그제야 나는 눈시울을 붉혔다

소매로 연신 눈을 문지르는 순간에도
버스는 나를 어디론가 데려가고 있었다

이방인

나는 이국에서 온 이방인 같았다
어디에도 속할 수 없고 말도 안 통했다

나를 보고 그들이 무슨 생각을 할지
주변의 시선이 두려웠다
그러나 그것보다 두려운 건
나 혼자만 이렇게 다르다는 사실이었다

아버지

해가 채 뜨지 않은 아침이면
현관에 앉아서 조용히 구두끈을 묶는 당신의 등을
어머니 품에 안겨서 바라보곤 했다

얼굴보다 등이 익숙했다
매일 현관문을 열고 나가는 등을 보았고
휴일이면 엎드려 자는 등을 바라보며
세상에서 제일 차가운 등이라고 생각했다

어느덧 내 키가 당신을 훌쩍 넘고 당신이 작아 보일 때쯤
현관에 앉아 구두끈을 묶는 내 어깨에 당신이
손을 올렸다

주름졌지만, 따뜻한 손
내가 건네지 못했던 그 손

그제야 알았다
세상에서 제일 따뜻한 등을 차갑게 만든 건
다른 누구도 아닌, 바로 나였다

갈대

나무 같은 사람이 되고 싶었는데 그러지 못했다
바람에도 흔들리지 않고
잎이 떨어져도 별일 아니라는 듯 살아가는 사람이 되어
우뚝 서고 싶었다

그런 내게 누가 그랬다
나는 갈대 같은 사람이라고
흔들리긴 해도 꺾이지 않는 사람이라고

태풍이 오면 나무는 부러지지만, 갈대는 그대로 있다
나는 그런 사람이었다

문득

뭉게구름이 그림처럼 흘러가는 어떤 날에는 문득 모든 게
허무했다
거대한 세상 앞에서 나는 먼지보다 작다
내 고민은 그만큼 하찮을 것만 같았다

주홍 글씨

어느 순간부터 내 가슴에는 주홍 글씨가 새겨져 있었습니다
지울 수 없어 옷으로 가렸습니다

그래도 불안했습니다
주홍 글씨가 새겨진 사람은 늘
가슴 졸이며 살아갑니다
언제 들킬지 몰라서 어깨도 움츠리고 위태롭게 살아야 합니다

나는 언제쯤 자유로울지…

원필

내 생애는
지금껏 믿기 힘들 정도로 처절했고
앞으로도 그럴 것이라는 걸 확신합니다

남들보다 오래 살았다고 할 수 없습니다
그렇지만 굳이 걸어봐야 아나요
길이 훤히 보이는데

구태여 덧붙일 이유도 없겠습니다
이대로 죽는다면 모두 부질없음인데

그런데 글이 써집니다
아직 미련이 남았나 봅니다

망년회

귀신으로부터 도망치던 꿈, 산타가 부모님이었던 사실을 알게 된
순간, 학우와 주먹 다툼하던 날, 친구라고 믿었던 사람에게
배신당하던 기억, 전학 간 학교에서 왕따당한 기억, 적응 못한
내 잘못이라던 선생, 불편했던 훈련소, 술에 취해 친구에게
힘들다고 전화한 기억, 정신병동에 입원한 11월, 모두가 날
손가락질하는 것 같은 지하철, 환각과 환청에 놀라 자동차로
도망친 새벽, 모든 걸 내려놓고 옥상에 섰던 밤

잘 가, 나의 스물넷

 오늘도 한걸음 멀어졌다. 우리는 매일 이별하며 살고 있다. 이 글을 읽는 순간마저도.

 무엇을 위한 삶인가. 우린 왜 살아야 하는가.

 영원을 약속한 사랑은 변했고 소중한 사람이 떠났다.
뚜렷했던 꿈은 흐릿해지며 언제나 그대로일 것 같은 청춘도 세월 뒤편으로 조금씩 저물고 있다. 모든 게 서러운데 야속한 시간은 이런 나를 기다려주지 않고 흘러간다.

 속상하지만 여기서 내가 할 수 있는 말은 하나밖에 없다.

 잊을 수도 없고 그렇다고 돌이킬 수도 없는 지난 것들이여,
이제는 안녕.

머리말

이런 삶이 축복인지 저주인지 아직 모르겠다.
그래도 확실한 건 퍽 외로운 삶이라는 것이다.

책은 여기서 끝나지만
우리 여정은 아직 끝나지 않았다